AF185019

Das Unbewusste bewusst entfalten
Eigenes Potenzial heben – Orientierung finden

Michael H. Beilmann

Mein persönliches Anliegen: In dieser Schriftenreihe veröffentliche ich persönliche Texte, die aus einem intuitiven Impuls heraus entstanden sind. Sie blicken hinter den Schleier oberflächlicher Deutungen, nehmen aufsteigende Empfindungen auf, thematisieren auch persönliche Verletzungen und erweitern den Blick auf tiefere Zusammenhänge.

Ziel jeden Artikels ist es dir Reflexionsräume für deinem eigenen Lebenskontext anzubieten und das eigene Handeln in seiner Entstehung zu betrachten.

Die Texte können dich unterstützen, an möglichen inneren Widerständen zu wachsen. Die Ausführungen können dich inspirieren, bestätigen oder zu weitere konkrete Einsichten führen, vielleicht sogar neue Pfade im eigenen Leben zulassen.

Ich freue mich darauf mit dir darüber in einen Austausch zu kommen. Alles Gute auf deiner Forschungsreise – Namaste...

kontakt@wuerde-impulse.de

tredition

ISBN Softcover: 978-3-384-01094-0

Druck und Distribution im Auftrag :
tredition GmbH, Heinz-Beusen-Stieg 5, 22926 Ahrensburg, Germany

Redaktioneller Hinweis: In den Texten wird das generische Maskulinum verwendet, womit ich ausdrücklich alle, besonders alle Lesenden, mitgemeint wissen möchte.

*ein möglicher **Fettdruck** gibt dem Text eine Orientierung

INHALTSVERZEICHNIS

EINLEITUNG

Beigefügte Texte sind feinsinnig, inspirierend und mit der Brille eines inneren Wanderers geschrieben, um sich der eigenen unbewussten Anteile bewusster zu werden. Er stellt dir Stimmungen, intuitive Bilder und damit verbundene Empfindungen zur Verfügung. Dabei werden aufkommende Gefühle interpretiert, drücken aufkeimende Hoffnungen aus und beschreiben die Sehnsüchte des Augenblicks aus verschiedenen Perspektiven. Dabei wird eine bildhafte, intuitive Sprache verwendet, um das Erleben der aufkommenden Wahrnehmungen zu veranschaulichen. Es ist das Ziel dir bewusst die eigene Selbstwirksamkeit zu spiegeln, dich als Gestalter deines eigenen Lebens zu erleben oder dich zu ermutigen eine Entdeckungsreise zu starten. Hoffentlich bestärken dich die Ausführungen, um mit möglichen Unsicherheiten unserer Zeit anders umgehen zu lernen.

Die Artikel beleuchten auf vielfältige Weise verschiedene Herausforderungen des Lebens, scheuen sich nicht die eigenen Verletzungen zu thematisieren. Vielleicht tragen sie dazu bei sich gekonnt zu einem pragmatischen und spirituell ganzheitlichen Lebensentwurf zusammenzufügen.

DIE EWIGE FRAGE NACH ZUKUNFT

Das Nachdenken über die Zukunft gehört zu den grundsätzlichen Anlagen des Menschen und ermöglicht es, Perspektiven von etwas Möglichem zu schaffen, niemals Gewissheiten. So inszenieren sich Zukunftsvorstellungen auf einem Bild der aktuellen Gegenwart, die bestimmte Parameter für zukünftige Ereignisse zugrunde legen. Die eigene **„persönliche Zukunft*"** fügt sich recht lose oder sehr verdichtet zu einem Zukunftsszenario zusammen. Bei der Gestaltung eines solchen persönlichen Zukunftsbildes geht es um

Möglichkeiten das eigene Leben in der Zeit auszugestalten. Hier fließt vor allem das eigene Wahrnehmen, Denken, Rätseln und Staunen ein. Auch die Idee von dem, was sein könnte, wer das eigene Ich im wir einer Gruppe sein will. Die jeweils kollektiv vorherrschenden Bedeutungszusammenhänge prägen uns Menschen dabei erheblich und beeinflussen unsere persönlichen Zukunftsvorstellungen.

Eine Orientierung in eine gemeinsame Zukunft gelingt leichter, wenn sich einzelne Gruppen gemeinsam bewusst ihr kollektives Bild davon kreieren, wie jene Welt sein sollte, in der sie als Menschen leben möchten. Denn Vorstellungen über eine Zukunft der Demokratie, Entwicklung eines Quartiers, eines Vereins oder der Weltwirtschaft interpretiert man als Bürger oder Mitglied einer Organisation als „**kollektives Zukunftsbild**". Wenn dabei Ängste die treibende Kraft in einer unge-wissen und unsicheren Gegenwart sind, dann entstehen oft dystopi-sche manchmal retro- und häufig utopische Zukunftsbilder.

Differenzierung zwischen den verschiedenen Zukunftsbildern

Kollektive Zukunftsbilder entstehen häufig aus einer Angst, in unübersichtlichen und isolierten Zeiten eine neue Orientierung zu bekommen. Oder aus der Zuversicht, das Leben und den eigenen Einflussbereich kreativ gestalten zu wollen. Durch ein narrativ-künstlerisches Vorgehen werden Zukunftsbilder durch fiktionale Erzählungen geschaffen. Dieses freie Vorgehen imaginiert Räume der Zukunft, indem dünne Fäden der Gegenwart kreativ miteinander verknüpft und zu spannungsreichen Bildern verwoben werden.

In Foren, in denen über kollektive Themen der Zukunft diskutiert wird, werden spezifische Parameter durch Rahmenbedingungen der Politik ergänzt. Auch individuelle Hoffnungen und Ängste werden dort hinein projiziert und auch externe wie normative Einflüsse fließen ein. So wird ein von-hier-und-nach-dort definiert mit dem Anliegen die abgestimmten Aspekte der Zukunft planerisch auch erreichen zu wollen.

Doch seit Längerem werden **Zukunftsbilder** mehr und mehr auf der **Basis von Algorithmen** berechnet, erfasst und als Grundlage von kollektiven Entscheidungen für die Zukunft genutzt. Menschlich inhaltliche Auseinandersetzungen darüber sind dann häufig gar nicht mehr gefragt. Heute kann daher nahezu jedes Zukunftsbild erzeugt, medial verbreitet und entsprechend viral rezipiert werden. Zum Teil werden auch manipulative und subtil wirkende Zukunftsbilder als unumstößlich eintretende Realitäten vermittelt. Sie werden mit konkreten Wünschen, eindeutigen Botschaften und damit verbundenen hohen Eintrittswahrscheinlichkeiten konkretisiert. Oft liegt ihnen ein sehr überzeugender Automatismus zugrunde, aus der linear eine alternativlose Zukunft propagiert wird. Die Adressaten dafür sind dann die Entscheidungsgremien in Politik, Wissenschaft und Wirtschaft.

Im Laufe der Evolution haben wir als Menschen Merkmale herausgebildet, die uns auch heute noch prägen (z.B. die Unwiederbringlichkeit der Vergangenheit, die Erfahrung von Jugend, Alter und Tod, die Unwägbarkeit des Kommenden...). Ausgehend von einem individuellen und kollektiven Naherleben aus den Wurzeln des Menschseins, hat sich mit der Domestizierung von Tieren, der Beherrschung der Natur und auch durch Schrift und Urbanisierung eine neue Zeitlichkeit herausgebildet. Es etablierten sich Konzepte des Übernatürlichen (Religionen), die aus einem scheinbaren ewigen Rad der menschlichen Existenz eine Linie mit Vergangenheit, Gegenwart und Zukunft zeichneten. Auf diese

Weise erhielt die menschliche Geschichte ihren Sinn im Gesamtzusammenhang allen Lebens und schuf dadurch einen kosmischen Bezug. Der Philosoph Thomas Hobbes sagte im 17. Jahrhundert, dass „der Mensch meistens nur das versteht, was er selbst tut". So baute sich der Mensch rücksichtslos sein eigenes Reich und setzte seine vermeintliche Einzigartigkeit radikal um.

Vor rund 250 Jahren begann dann der Glaube, dass Zukunft tatsächlich machbar sei. Der Mensch gab sich die Rolle die Erde tatsächlich in seinem Sinne gestalten zu können. Damit wurde „Gott" vom Thron gestoßen und die Weltgeschichte zum Maßstab um Zeit und Raum zu beherrschen. Das Leben wurde verstärkt für viele zum Schauspiel und gleichzeitig auch zur Last. Denn die Menschen erkannten, dass sie aus der Gegenwart heraus die Zukunft stetig schneller gestalten und sich in ihr dennoch behaupten mussten – für mich haben wir uns dabei verloren.

> *Als „Gott" vom Thron gestoßen wurde begann der heutige „Fortschritt"*

So wurden Politiker als aktive Gestalter der kollektiven Zukunftsbilder in die Verantwortung genommen. Sie sollten die großen Ideen mit Inhalt füllen und so ihren Bürgern Orientierung geben. Literarisch und ideologisch formulierten sie Konzepte und verschiedene Geschichten begleiteten diese Epoche. Zum Teil wurden sie praktisch erprobt und scheiterten dann in der Praxis (Stalinismus, Sozialismus, Nationalismus).

All dies führte dazu, dass die **Zukunft im Rausch des technisch Machbaren** entworfen wurde. Wissenschaft und Technik versprachen Begeisterung, und die Manipulierbarkeit des Universums entbehrte mehr und mehr des Sinns menschlicher Verantwortung. Es verfestigten sich Zukunftsszenarien durch die vermeintliche Beherrschbarkeit des Kommenden. Bis heute scheinen vor allem technische Lösungen die Grundlage für Zukunftsbilder zu sein, wie sie sehr gut in den Science-Fiction-Szenarien der 1950er Jahre entworfen wurden. Sie halfen vor allem, die Mühsal des Daseins zu überwinden. So schien es, dass die Blicke in die Zukunft berechenbar geworden waren und sich von Prophetie, Weissagung und Orakel entfernt hatten. Scheinbar hat sich dabei ein gewisser Zukunftspragmatismus durchgesetzt, der verschiedene Kausalzusammenhänge fast willkürlich miteinander verknüpft und der menschlichen Kreativität immer weniger Entfaltungsraum ermöglicht. Denken wir heute die Zukunft vor allem durch die Brille der Komfortsteigerung? Ist für die große Beschleunigung die Maximierung des Gewinns die Grundlage? Und setzen wir den Fokus auf eine ganzheitliche oder interessensgeleitete Zukunft? Dies frage ich mich, da es immer schwerer wird aus den heutigen Bildern der Welterklärungen verlässliche Parameter für ein überzeugendes Zukunftsbild auszuwählen.

Unser Sein hebeln wir heute durch die **künstliche Intelligenz** und **medizinischen Möglichkeiten** zu Geburt und Tod oft selbst aus. Diese Art des Fortschritts verschiebt die kulturelle Sinnproduktion, da der Mensch immer weniger seine Zukunft selbst bestimmt. Technisch und medial sind wir in Lebensbereiche eingetaucht, die dem Menschen lange Zeit Sinn gaben und heute aufgrund von Unübersichtlichkeit delegiert wurden (Stichworte hier Cyborgs, digitale Werbung oder chinesische Sozialkontrolle).

Die Folgen dieses Empfindens eines Verloren-Seins in der Vielfalt der technischen Möglichkeiten mündet in eine zunehmende Vereinzelung (trotz digitaler Mittel). All dies ermöglicht es jedem Einzelnen, sein persönliches Zukunftsbild als ein kollektives zu bündeln. Er fügt unterschiedlicher Informationen zu einzelnen Szenarien zusammen, stellt diese nahezu unausweichlich als wahr und als sicher geglaubte Zukunft dar und proklamiert diese. Diese

Lust an eigenen Szenarien mag auch damit zu tun haben eine neue Sicherheit zu finden. Oder es ist der Versuch das Scheiterns heutiger Realitäten zu verarbeiten. Lange Zeit galten diese als hoffnungsfrohe Zukünfte, doch was davon ist heute wirklich eindeutig noch wahr? Auch zeigt uns die Vergangenheit, welche Lasten (Abfall, Ökologie, dominierende Lobbyinteressen, dominierendes Wirtschaftsmodell usw.) und jeweils aktuellen Probleme weniger in der Gegenwart behoben und lieber auf eine Zukunft verschoben werden.

Erst seit den 1970er Jahren richtet sich der Blick auf die grundsätzliche Sicherung des Überlebens aller Lebewesen. Macht, Stärke und Profit durchwebt weiter ohne Zweifel das Leben, doch wurde deutlich, dass

Gewusst wird schon lange viel, doch wie ist es mit dem Handeln aus Wissen?

Zukunft kein grenzenloser Raum ist und nicht zum Nulltarif gestaltet werden kann. Trotz aller zur Verfügung stehender Fakten sind auf globalen Zukunftskonferenzen konkrete Vereinbarungen sehr selten oder wenig zielführend, um der heutigen Kinder- und Enkelgeneration einen ähnlichen Lebensstandard wie heute zu ermöglichen. So differenzieren wir Menschen Raum und Zeit immer weiter aus und wer weiß heute schon, wann die ökologischen Kipppunkte mit welchen realen Auswirkungen tatsächlich erreicht werden? Daher bleiben auch Entscheidungen, die das Überleben der Spezies Mensch auf dem Planeten Erde betreffen ein Blick in die Glaskugel.

Ich stehe somit oft ängstlich vor einem **riesigen Berg interpretierbarer und medial aufbereiteter Annahmen über die Zukunft**. Ich frage vermehrt nach der Basis und den Grundannahmen, die wissenschaftliche Studien zur Entscheidungsgrundlage heranziehen. Weiterhin frage ich mich, ob sich überhaupt noch kollektiv ausgehandelte Zukunftsbilder ergeben können? Oder ob zunehmend nur noch viele kleinteilige Zukunftsszenarien Sinn bieten? Ob vielleicht kollektive Zukunftsszenarien allein vorgeschoben werden, um zur Beruhigung zu dienen und um Aufmerksamkeit zu buhlen. Zunehmend habe ich den Eindruck, dass politische Vereinbarungen in einer globalisierten Welt von mehr und mehr unkontrollierbaren und unsichtbaren Interessen multinationaler Konzerne und der digitalen Macht der GAFAS bestimmt werden. Denn Gegenwart wird vor allem von medial inszenierten Bildern auf der Basis entsprechend schriller Vergangenheitsmomente bestimmt bzw. prägen sich über vielschichtige Hollywoodfilme und Streamingdienste in unser Bewusstsein ein.

Ein **Austausch über komplexe gesellschaftliche Fragen, Visionen zukünftigen Lebens oder demokratische Teilhabe** wird von immer mehr Menschen als anstrengend empfunden und vernachlässigt. Selbst das empathische Eingehen auf Erwartungen anderer läuft oft ins Leere, Hoffnungsszenarien von Engagierten treffen auf wenig Adressaten und Verunsicherungsbotschaften finden durch das Schüren von Ängsten verstärkte Resonanz.

Viele Zukunftsdiskurse in einzelnen WIR-Gruppen münden oft in endlosen Gedankenschleifen, weil die relevanten Wirkmechanismen der Ergebnisse dieser Foren wenig erkennbar sind. Auch wird eine Gegenwart mit Blick auf das Zukunftsbild oft von der Realität überholt. Vielleicht können wir nur noch auf Sicht agieren? Oder finden wir für uns ein mögliches, motivierendes und sinnstiftendes Szenario einer neuen Zeit?

Es kommt mir **fast wie ein aussichtloser Traum vor**, in dem wir als Menschen doch noch gemeinsam ein Schiff bauen können, um damit neues, unentdecktes Land zu erkunden. Denn scheinbar ist jeder Winkel der Welt bereits entdeckt, kartographiert und detailliert beschrieben. Einige Menschen sehen sogar den Weltraum als Hoffnungsschimmer für eine lebenswerte Zukunft an. Doch neben der Mission zum Mars oder zur Abdeckung der gesamten Welt mit 5G-Satelliten im Orbit, haben wir einen wesentlichen Aspekt unserer Zukunftsmöglichkeiten vergessen.

Wo bleibt der Blick für die unausgeschöpften Potentiale des eigenen Seins in der Verbundenheit mit dem Ganzen des Lebens. Ein solches Verständnis orientiert sich daran, den inneren Frieden zunächst in sich selbst gegenwärtig wahrzunehmen und ihn so oft wie möglich bewusst selbstwirksam ins Leben zu tragen. Durch diese tägliche Aufgabe gestaltet sich Zukunft durch gegenwärtiges Tun. Das Miteinander wird leichter, die Schönheit der Natur erlebbar und der Sinn des eigenen Seins zunehmend spürbar.

Die eigenen Potenziale erkennen, um die Zukunft ganzheitlich zu gestalten

Ein solcher Gedanke setzt mir eine Narrenkappe auf, da diese friedliche Verrücktheit den vorherrschenden Wertstellungen die Macht nimmt. Es leuchtet dabei vor meinem geistigen Auge eine Zukunft auf, die dem Leben eine andere Qualität zu verleihen vermag.

So bekommt **meine persönliche Zukunftsvorstellung** wieder real Raum und Zeit, verabschiedet sich von der bewertenden Dualität und nimmt das an, was gerade in mir und im umgebenden Kontext geschieht. Ein solches Bild gibt mir meine Verantwortung zurück und gleichzeitig Möglichkeitsräume, lädt andere Menschen ein daran mitzugestalten und verschafft mir selbst wiederum neue Hoffnung. Ich gestalte diese Reise in einem neuen WIR – wie genau, das formiert sich mehr und mehr. Magst du mit auf diese spannende Forschungsreise kommen? Lass uns über die feinen

Unterschiede in den Nuancen dieses Textes austauschen. Ich freue mich auf dich...

URTEILSKRAFT DURCH ILLUSION ODER WIRK-LICHKEIT?

In meinem Inneren kämpft etwas Unaussprechliches. Ich liege wach und fühle einen Zustand der Melancholie, der Frustration. Die Buddhisten würden sagen: Leiden. So schalte ich mental um und versuche, meinen verwirrten Geist zu beruhigen oder abzulenken. Denn viele Fragen bleiben unbeantwortet und auch der Blick in die Weite des Nachthimmels kann mich kaum von meiner inneren Unzufriedenheit befreien. Im übertragenen Sinne rumort es in meinem Bauch, der Zweifel an der eigenen Existenz hat gerade die Oberhand und eine Ausweglosigkeit erfüllt die scheinbare Endlosigkeit dieses Moments.

Eine Aussage des zur Ablenkung gehörenden Vortrags mündet in Lethargie und Hoffnungslosigkeit und eine andere Aussage gibt auf einem bisher unbeleuchteten Gedankenpfad eine andere Ordnung.

Ich frage mich, woher die Gedanken kommen, die scheinbar Licht ins Dunkel bringen. Eine Annäherung, die mir zeigt, wie sehr ich mich von der Illusion meiner Sehnsüchte leiten lasse und wie diese durch äußere Anerkennungsmechanismen befriedet werden. So wird deutlich, wie sich immer und immer wieder Reflexionsschleifen von etwas bilden, das nicht oder vielleicht gerade zu wenig da ist. Aus diesen Sehnsüchten entstehen dann Bilder eines gewünschten Zustandes, die mein Geist mit der Realität abgleicht. Dieses Wechselspiel zwischen Reflexion und Neuschöpfung von

Bildern rotiert in einer ungesunden Geschwindigkeit im Kopf und lässt die Wirklichkeit bedeutungslos erscheinen.

Denn die Wirklichkeit hat nichts mit dem zu tun, was sich in den Illusionen des oft verletzten Seins in solch melancholischen Nächten zusammensetzt. Grundsätzlich ist die alltägliche Wirklichkeit geprägt von der Dankbarkeit für das großzügige Geschenk des Lebens und der Möglichkeit seiner vielfältigen Gestaltung. Die Wahrnehmungen des Wachzustandes lassen mich dann die inneren Dilemmata eher erkennen und beschenken mich vorbehaltlos von Moment zu Moment mit neuen Eindrücken.

Doch die enorme Kraft von immer wiederkehrenden Illusionen bestimmt die Stärke der Überlagerung dieser Fiktionen, die kaum Raum für Vertrauen lassen. Nur mühsam und mit viel Disziplin

Über Reflexionsschleifen bisher unbeleuchtete Gedankenpfade ausleuchten

ist es möglich, in die Schönheiten des realen Augenblicks einzutauchen. Jetzt, kaum 10 Minuten nachdem ich diesen Text begonnen habe, scheint die scheinbar unüberwindbare Schlucht zwischen inneren Scheinwelten, der Sehnsüchte und der Wirklichkeit einen Ausweg aus der gedanklichen Verhaftung zu erkennen. Ich erlebe diese Brücke, indem ich aufschreibe, was sich ausdrücken will.

Und du? Was ist dein Weg, um den Illusionen ihre Grenzen zu zeigen, um die Sehnsüchte zur Ruhe zu bringen und um der Wirklichkeit klar ins Auge zu sehen?

DIE EINSAMKEIT EINES BRÜCKENBAUERS

Sequenzen eines Traums mit all den unterschiedlichen Gefühlen lassen mich auch mittags noch nicht los. Ich frage mich dabei, wozu

Verständigung und das Anliegen, Konsens erwirken zu wollen dienen soll, warum dies für einen Brückenbauer so wichtig und ob dieser Anspruch heute überhaupt noch umsetzbar ist. Mir tauchen dazu folgende Bilder wie ein Film meines nächtlichen Traums auf:

Ich stehe auf einer schönen alten Steinbrücke aus dem Mittelalter, schaue in die Umgebung und empfinde genussvoll einen großen inneren Frieden über mein frei gewähltes Alleinsein. Natürlicherweise folgen darauf traurige Momente, die ich als unsägliches Gefühl der Einsamkeit empfinde. Mein Befindlichkeitslevel schwingt wie ein Pendel zwischen diesen beiden Polen hin und her. Äußerst befremdlich finde ich es, wie dieses Pendel zwischenzeitlich sogar in der Mitte still steht.

Wenn ich dem Wasser flussabwärts folge sehe ich perspektivisch die Weite des Meeres, flussaufwärts assoziiere ich die reine Quelle. Je nach meinen Empfindungen strahlt dabei die Sonne hell oder trübe Wolken verdunkeln das Bild. Bei diesen Richtungswechseln von der Quelle zur Mündung streift mein Blick die Uferseiten mit verschiedenen Menschengruppen.

Auf der einen Uferseite sehe ich ein vielfältiges, buntes Fahnenmeer mit kreativ gestalteten Botschaften, die von Menschen an unterschiedlich großen lodernden Lagerfeuern gestaltet wurden. Jede Gruppe informiert sich aus seinen vielfältigen digitalen Kanälen und streut die Nachrichten in die eigene Community. Untereinander scheinen die Gruppen jedoch wenig miteinander verbunden zu sein, da das eigene Interessensgebiet im Fokus steht. Was die Botschaften auf den Fahnen vereint, ist die Kritik an den gesellschaftlichen Systemen, an die sie den Glauben längst verloren haben. In persönlichen Begegnungen spüre ich oft unterschwellige Ängste der eigenen Hilflosigkeit und Sorgen um die Zukunft.

Auf der anderen Uferseite sehe ich Menschen, die sich mit etablierten Zeichen von Macht, Status und der Gewissheit des eigenen Erfolgs schmücken. Ihre Fahrzeuge parken vor verschiedenen Gebäudetypen, die die Interessengruppen voneinander trennen. Sie sitzen in gemütlichen Ledersesseln oder Restaurants, flanieren vor hellen Schaufenstern, informieren sich über Nachrichten klassischer Medien und genießen die vielfältigen kulturellen Angebote. Der Kodex von Verantwortung gegenüber bestehenden Systemen verbindet diese Gruppen. In den persönlichen Begegnungen spüre ich oft unbewusste Ängste, sich grundlegend nötigen Veränderungen zu öffnen, sich mit diesen Anforderungen persönlich zu konfrontieren und sich einzugestehen, die Errungenschaften der vergangenen Jahre verlieren zu können.

> Die Anliegen beider Uferseiten wertzuschätzen bereichert die eigene Vielfalt

Wie in lebendig werdenden Comics träume ich auf der Brücke auch Bilder meiner lebhaften Besuche und Gespräche bei den Menschen an den Lagerfeuern wie auch in den diversen Gebäuden. Mir wird dabei deutlich, wozu meine Ausflüge in die verschiedenen Welten dienen und wie der Austausch über die Weltbilder meinen Blick erweiterten. Hier lichtet sich auch ein Schleier, der den Verharrungspunkt des Pendels in meinem Traum zwischen der Befindlichkeit von unfreiwilliger Einsamkeit und dem Lebensgefühl erfülltem Alleinseins zu lüften scheint.

Leider endet hier mein Traum. Doch… Dieser Text ist in Gänze final **zu hören** und **zu lesen** auf der Website: www.wuerde-impulse.de

PARTNERSCHAFT BZW. EHE UND PLATONI-
SCHE FREUNDSCHAFT

Heilt die Zeit wirklich alle Wunden? Ich bezweifle es, denn erst mit dem zeitlichen Abstand werden die eigenen Versäumnisse der Vergangenheit sichtbar und nicht mehr revidierbar.

Zu dieser Annahme komme ich, weil mir meine langjährige Auseinandersetzung mit dem Verhältnis von Partnerschaft bzw. Ehe und platonischer Freundschaft immer wieder in den Sinn kommt. Ich habe in den 20 Jahren meiner Ehe viel darüber gesprochen und gelesen. Ich habe versucht, mir eine Meinung dazu zu bilden und nach überzeugenden Argumenten gesucht, um die tiefen Gefühle zu verstehen, die das Besondere des einen und des anderen ausmachen. Denn beide Beziehungsformen haben mit tiefer Liebe zu tun - nur irgendwie anders, oder? Warum und wozu die hohen Ansprüche an die One-and-only-Person in der Ehe? Ist vielleicht nur der Sex der entscheidende Unterschied?

Jetzt als Single tauchen diese Fragen in den unterschiedlichsten Einsamkeitsphasen wieder auf. Irgendwie drängt der besondere Wert des Verlorenen nach weiterer Klärung. So vergesse ich Streitpunkte, Zweifel und Unstimmigkeiten aus der Ehezeit und erkenne verschiedene Aspekte des feinen Etwas einer Partnerschaft oder Ehe.

- Ein wesentlicher Aspekt war die gemeinsame Wohnung. Hier fand der tägliche Austausch statt, das Teilen von Banalitäten und Sorgen, tiefgründige Gespräche und Erlebnisse. Der Erinnerungsspeicher ist reich gefüllt mit einer Vielzahl von Geschichten.

- Besonders tief sind mir die nährenden, vertrauten und manchmal sehnsuchtsvollen Blicke von und zu dieser One-and-only-Person in Erinnerung geblieben. Sicherlich auch begründet durch die vielen Momente des gemeinsamen Nachdenkens, der Auseinandersetzung, des Teilens von Leid und Freude sowie der schmerzhaften Stressphasen mit anschließender Versöhnung - hier entsteht eine wohlige Resonanz in mir.

- Mit der geteilten Zeit wuchs auch ein tiefes Gefühl der Zusammengehörigkeit, in dem sich ein besonderes Empfinden von Verbundenheit und Gewissheit wie ein unbekannter Weg unter die Füße legte. Solche Gefühle kann man auch als eine weiche Deckschicht des Vertrauens bezeichnen, die es ermöglichte, sich fallen zu lassen.

- Die Ehe vermittelte auch eine bewusst ausgesprochene Verlässlichkeit. Dieses Band erweiterte den Blick auf das Leben und sicherte es in gewisser Weise ab. Das führte sogar dazu, dass eine zeitweilige räumliche Abwesenheit des anderen manchmal schmerzhaft war und unerklärliche Ängste auftauchten.

- Eine weitere interessante Entwicklung zeigte sich in der Art und Weise, wie die Gespräche geführt wurden. Zu Beginn der gemeinsamen „Schmetterlingszeit" wurde viel und intensiv geredet. Es entwickelte sich eine Sprache ohne Worte und ein Blick genügte, um eine wortlose Antwort zu geben oder eine inhaltliche Aussage zu verstehen. Die gemeinsame Verpuppung nahm dadurch ihren Lauf.

Der Vergleich gibt dem Verlorenen einen neuen Wert und Wertschätzung

All diese Aspekte zeigen mir, welche enormen Wachstumsschübe durch gegenseitige Geduld hervorgebracht werden können. Ich sehe auch, wie sehr sich die einzelnen Lebensebenen (Körper, Geist, Seele, Schatten, Spiritualität) zweier Menschen im Laufe der gemeinsam verbrachten Zeit grundsätzlich miteinander verweben. Dabei scheint die körperliche Vereinigung als gröbste Ebene zur intensivsten Erfahrung zu werden. Denn durch diese Öffnung, Offenheit und Verletzlichkeit verändert sich die Qualität der geistig-seelischen Ebene. Diese feinstofflichere Ebene gewinnt immer mehr an Bedeutung und es entsteht in jeder Beziehung ein eigenes kunstvolles Geflecht des Zusammenseins.

So wird ein anderer Mensch, und hier ist jeder gemeint, zum Spiegel des eigenen Lebens. Der Austausch wird bei gegenseitigem Wohlwollen stetig vertrauter und es wächst die gegenseitige Erlaubnis, sich an den Eigenheiten, Ansichten und Verhaltensweisen des anderen zu reiben und an den Widerständen zu wachsen.

Ein ganz wesentlicher Unterschied besteht vor allem im Teilen von tiefem Schmerz und Leid. In einer Ehe werden diese Gefühle automatisch geteilt, weil jeder weiß, wer die Ansprechperson ist. In einer tiefen oder auch platonischen Freundschaft überlege ich mir mehrmals, ob ich in solchen Situationen Kontakt aufnehmen soll. Trotz verbaler Erlaubnis stellen sich eher Fragen. Denn will ich meiner Freundin mit meinem Leid wirklich so belasten? Sie hat ihre eigenen Themen, Bezüge und Lebenswelten und lebt auch an anderem Ort. So vergehen emotional belastende Lebensabschnitte oft ohne zeitnahen Austausch.

Wahrscheinlich auch aus den genannten Gründen bleiben viele Ehen oder Partnerschaften bestehen, Singlebörsen boomen aus Sehnsucht nach Partnerschaft und das Ideal der One-and-only-Person hat immer noch Hochkonjunktur. Die Liebe zu einer platonischen Freundin ist somit von anderer, nicht minderer,

Qualität. Solch eine Beziehung ist eines der größten Geschenke des Lebens, weil sie sich durch Beständigkeit und Tiefe auszeichnet und ohne die „einmaligen" Ansprüche auskommt. Gerade darüber können neue Formen des Zusammenlebens erprobt und andere nährende Erfahrungsfelder gestaltet werden. Und dennoch wird wohl die Feinheit der „Einen" schwer erreichbar werden, oder?

Mit diesen Gedanken habe ich einen weiteren Zugang zu meinen langjährigen Überlegungen gefunden. Daher kann ich mich in den nicht zu vermeidenden Krisen eines Singles – andere als in einer Partnerschaft oder Ehe - leichter der Zukunft stellen und den verlorenen Wert der Ehe nun leichter mit einem Wohlbefinden integrieren. So schaue ich mit Dankbarkeit und einer gewissen Demut zurück auf diese vertraute Zeit. So weiß ich jetzt, dass ich mit heutigem Bewusstsein verschiedene damalige Aussagen anders geäußert und gelebt hätte. Und ich glaube, dass eine solche Wunde nicht wirklich heilen, sondern allein mit einem Lächeln belegt werden kann.

BILDERREISE

Gerne möchte ich dich auf eine Bilderreise einladen. Ich beschreibe einen Zeitraum, der sich meiner Zeit entrückte oder sie ungemein zu dehnen schien. Worte, mit denen ich meine innere Empfindungen zu beschreiben versuche können allein umreißen, welche Kraft und Tiefe mich bei den Eindrücken berührten. Im Wissen um die Begrenzung von Worten für die Schönheiten und Schauspiele der Natur, freue ich mich folgende Zeilen mit dir zu teilen.

Lieblichkeit und Rauheit geben meiner Seele ungeahnte Nahrung

Ich überwinde per Auto eine Höhendistanz von knapp 1.900m und dabei einen Temperaturunterschied von ca. 20 Grad. Ich verlasse auf unzähligen Serpentinen mehr und mehr die Zivilisation, durchfahre lichte sonnendurchflutete Kiefernwälder und bemerke, wie sehr sich die Dichte und Farbe dieser erhabenen Bäume verändert. Irgendwann endet dann das grüne Schauspiel und spitze, auch runde Steinformationen unterschiedlicher Gesteine ragen vom Boden auf. Teilweise formte die Lava so etwas wie Skulpturen aus einem Meer an schwarzer oder dunkelbrauner Masse. Bei etwas Phantasie und Muße könnte sich hier eine Schar Fabelwesen begrüßen, die sich ihren Platz in der Ewigkeit geschaffen haben.

Ich hebe den Blick, sehe und erahne verschiedene Bergrücken im bizarren kalten weißen Nebel, die sich mir mehr oder weniger zeigen. Sie münden in Bergmassive, die braun, beige, sogar grün oder rötlich wie Trompeten einer Orgel aus der Ebene aufsteigen. Beim Gang in Richtung dieser kunstvoll aufragenden Monumente schütze ich mich vor feinen Schneeflocken, die windgetragen die Luft durchschneiden und mein Gesicht kühlen.

Gleichzeitig umgibt mich eine Ruhe, denn nichts scheint auf Leben hinzudeuten. Und dennoch ermöglichen mir einzelne Wolkenlöcher sanft grüne Kiefern an den Hängen zu erkennen. Sie halten dem Wind und Wetter stand und stehen aufrecht an ihrem Platz. Teilweise leuchtet etwas Sonne das wunderbare Bergpanorama mit einzelnen Schneefeldern aus, und lässt dabei gelbliche Ginsterbüsche oder grüne Gräser auf den Berghängen erkennen - je näher ich komme, umso größer werden sie.

Das Raue im Blick verschwindet dabei und eine fast liebliche Atmosphäre nehme ich wahr, obwohl der gesamte Kontext wenig lebensfreundlich anmutet. Bei allem umgibt mich etwas Unwirkliches, fast schon Unheimliches, ob der Größe dieser Steinmengen.

Vor Jahrmillionen, im Grunde erst vor ca. 2.000 Jahren tobte hier das Leben, da sich die Magma aus dem Teide ergoss. Und, was könnte mein Plot dieser Bilderreise sein? Ich erlebe die Einbettung in eine Urkraft, bei der die Angebote der Natur für mich Regie führte. Ich folgte den Eindrücken und reagierte auf meinen inneren Impuls, der im Moment stimmigen Bewegung bzw. Sog der Richtung. Das große Ganze des Gesamtpanoramas zog mich und stieß mich fort, sog mich ein und ließ mich die Naturgewalten erfahren. Im Rückblick dieser Reise erinnere ich die vielen Autos und Busse, die vorbeihasteten und an ausgewiesenen Plätzen ihre Eindrücke aufnahmen, und dann klimatisiert die Reise fortsetzten. Mir kam es so vor, als ob sich da ein Film meines eigenen inneren und befreiten Seins offenbarte, der mich in der Tiefe auf geheimnisvolle Weise erreichte und zu erfüllen vermochte. Mit allem anderen hatte ich nichts zu tun.

WENN NICHT JETZT, WANN DANN?

Leben, Lebenszeit, Lebensmomente. Wir leben eng getaktet mit künstlicher Zeiteinteilung und spielen mit den etablierten Phasen von Vergangenheit, Gegenwart und Zukunft. So nennen wir sie auch Arbeitszeit, Schlafenszeit oder Freizeit und erleben darin verschiedene innere Qualitäten. Mal mehr oder weniger erfüllend, mal sinnentleert und frustrierend, dann wieder übervoll und mit Fragezeichen bezüglich einer konstruktiven Ausfüllung.

Angebote zur Ausgestaltung bekommen wir genug – eher schon zu viele. Wenn nicht von außen geregelt und mit Aufgaben gefüllt, suchen und finden wir selbst routiniert oder bewusst eine Menge an Möglichkeiten, um offenen

Sich versöhnen mit den verpassten Chancen der Vergangenheit

Zeitfenstern Inhalt zu geben. Gerade heute scheint es äußerst leicht, aus der Vielfalt das mögliche Passende zu fischen. So wird jede Minute verplant, mit Zwangsläufigem versehen und in die Zeit werden stetig mehr Aufgaben gepackt. Die Aufgaben des Chefs, Frau und Kinder oder der Garten – immer wartet etwas. Besonders die selbst auferlegten Notwendigkeiten, Ansprüche und eigenen Erwartungen begünstigen die Überforderung. Sogar die Schlafenszeit wird tendenziell weniger erholsam, da auch diese gefüllt ist und hier versucht wird, die Tagmomente zu verdauen, die Unklarheiten des Tages zu verarbeiten und zu sortieren, um auf jeden Fall am Folgetag wieder gut zu funktionieren.

Und dann, was geschieht, wenn plötzlich Ruhe eintritt, mal keine neue Aufgabe ansteht? Ist so etwas überhaupt im Hamsterrad der Anforderungen möglich? Oder wenn von außen ein Schicksalsschlag eintritt, der der Routine eine Zwangspause verordnet? Dann stellen sich Fragen nach dem bisher gelebten Leben, den Momenten von Liebe und Freude ein, Fragen zu all dem, was durch die stetige Vollbeschäftigung in der Zeit keinen Platz gefunden hat. Was geschieht, wenn Nichtaktivität im Kopf Fragen eines Nichts aufwerfen oder wenn die Befriedigung von Anliegen – vor allem für andere, oft fremde andere – offensichtlich wird, der Berg von Beschäftigung entfällt?

Plötzlich sind da aufsteigende Sorgen und Zweifel ob des Verlustes ungelebten Lebens. Es keimen vielleicht Träume auf und vor allem bildet sich leicht Traurigkeit und Wut aus durch die Bewusstwerdung eines neuen Spalts bzw. die Einsicht verpasster Chancen im bisherigen Leben. Besonders häufig stellt sich eine große Angst mit vielen weit verzweigten Unterfragen ein. Der innerliche Druck wächst, den Lebensschlüssel im Nebel zu finden und in eine bisher unsichtbare Tür stecken zu wollen, die die Aufschrift „wenn nicht jetzt, wann dann" trägt. Je häufiger diese Phasen eintreten, umso eher wird das Konstrukt der linearen Zeit von Vergangenheit und Zukunft als ein Übel eigener Lebenszeit enttarnt. Zuerst ist es gedanklich unvorstellbar, dass wir Menschen uns durch diesen geschickten und in der Vergangenheit nötigen Schachzug konstruierter Zeit so weit von uns selbst entfremdet haben. Denn die Parallelwelten, sowohl unsere oft selbst erzeugte Hektik in der Zeit als auch der Wunsch, immer mehr Aufgaben in die Zeit packen zu wollen, hat uns gerade heute durch die Möglichkeiten der Digitalisierung längst überholt.

Ich weiß nicht, wie es dir geht. Ich jedoch plane immer noch gerne, was ich morgen tun möchte. Doch weiß ich im Rückblick, dass meine guten Pläne oft nicht Realität wurden oder vor allem meine abgespeicherten Vergangenheitsmomente wahrlich nicht dem damals geplanten Lebensweg entsprechen. Auch erlebe ich weniger das so oft gelobte JETZT als das einzig Seligmachende. Auch diese Facette zeigt sich als eine Illusion, die ich mit Bedeutung fülle, um meinem Leben Sinn zu geben.

Äußere Ruhe ermöglicht es dem Geist leichter den Körper und die Gedanken zu entschleunigen

Da es mir mehr und mehr möglich wird, die äußere – teilweise erzwungene – Ruhe zu einer inneren Stille auszubilden, entsteht in mir und in meinem Bezugsrahmen eine andere Art der Verdichtung zu mehr Wesentlichkeit, die viele Konzepte, wie auch Verführungen, dadurch in die Leere laufen lässt.

So entstehen neue Bezugsrahmen und Themensetzungen im eigenen Leben und eine andere Verantwortung wächst hervor. Der Versuch, Spaß durch Freude zu ersetzen, erfülltes Sein statt gefülltes Leben in die Zeit zu bringen oder inneren Frieden statt Erleuchtung anzustreben ist wahrlich keine kleine Aufgabe. Doch ein Finden dieser Aspekte stellt nicht vorrangig die Frage in den

Mittelpunkt: „Was machen wir denn jetzt?", sondern gibt zuerst dem Wahrnehmen und Anschauen gebührenden Raum und schafft so neue ganzheitliche Möglichkeiten.

MENSCHEN IN IHRER ZEIT

Einige Tage voller Beobachtungen. Welche Vielfalt sich von Moment zu Moment mir offenbarte. Entgegen der Gewohnheit waren oft weder mein Handy noch mein Laptop für meine Aufmerksamkeitslenkung verantwortlich.

Ich schaute in viele Gesichter, hörte unbemerkt Gesprächen zu, nahm Bewegungen und Regungen wahr, öffnete mich den verschiedenen Ausdrucksweisen anderer Menschen. Sei es im Zug, in Restaurants am Bahnhof oder den Begegnungen auf meinen Wanderungen. Welch Wesen wir doch darstellen! Spannend und gleichzeitig auch, in den oft mit der Beobachtung verbundenen Interpretationen, sehr ernüchternd.

So erlebte ich Menschen, die fast automatisch Knöpfe sehnsuchtsvoller Begeisterung an vergangene Erlebnisse in sich zu drücken schienen, sobald strahlende Kinder oder Babys in Kinderwägen in deren Wahrnehmungskreis erschienen. Gleichzeitig auch Frauen, die oft interessiert oder vielleicht zwanghaft ihren Mitteilungsdrang lebten. Die Zungen fanden keine Ruhe und häufig entstand ein Hin und Her alltäglicher Beschreibungen und das Wechselspiel vieler Worte schien unerschöpflich.

Die meisten legten ihren Fokus auf eine glänzende Scheibe mit wechselnden Bildern. Teilweise tippten, wischten oder strichen sie mit mehr oder weniger Liebe darauf herum. Ab und an bewegten sie mit futuristischen Knöpfen in den Ohren ihre Lippen. Sehr befremdlich wirkten vermehrt Menschen, die mit aufgeklapptem

Laptop und Knopf im Ohr ein virtuelles Gespräch führten, während sie das Bahngleis wechselten - welch eine Wertschätzung für den Gesprächspartner.

Auch beim Joggen oder Wandern in der Natur schlossen viele Menschen diese aus, indem sie mit großem Kopfhörer ausgerüstet, sich aus der Dose beschallen ließen, und somit ihren Synapsen das Rauschen des Waldes oder das Gezwitscher der Vögel dadurch verkümmern ließen.

Sehr eindrücklich waren mit dem Kind beschäftigte Mütter oder Väter. Die Aufmerksamkeit war eindeutig gelenkt, das junge neue Wesen auf diesem Planeten absorbierte alle anderen Eindrücke. Allein ein schallendes Geschrei oder das schrille Martinshorn hatte die Chance einer kurzen Unterbrechung.

> *Tägliche Zeugenschaft verweist auf das (un)bewusste in der Lebenszeit*

Aus diesen Welten schienen Zeitungen, Bücher oder ein entdeckungsfreudiger Blick aus dem Zugfenster in eine reizvolle Natur bzw. in die Augen des Gegenübers undenkbar. Dadurch verlieren auch Fragen an Relevanz, denn anstatt mögliche Kontakte dafür zu nutzen, wird durch die Technik sehr leicht schon die Antwort gegeben.

Neben den menschlich relevanten Aktivitäten des Essens, der Hausarbeit, des Schlafens, der Toilettengänge oder auch des An- oder Auskleidens scheinen sich die Aktivitäten von jungen oder alten Menschen nur unwesentlich zu unterscheiden. Denn was bleibt, wenn Energie und Zeit ohne Aufgabe noch vorhanden ist? Oft nutzen wir aus einer großen Auswahl einige Ablenkungen, bei der jeder seine Grenze zum „Zeit-tot-schlagen" oder Genuss an freier Zeitgestaltung für sich reklamieren wird. Ob jedoch Streamen, Familientreffen oder Aktivitäten mit Freunden, Besuche diverser Veranstaltungen, Urlaube, Essen gehen oder die oft engagierte Begeisterung für ein Hobby ansteht – es ist allein die Qualität der Aktivität verschieden. Somit, kann es zusätzlich bei einer solchen Vollbeschäftigung noch um etwas anderes gehen?

Wen interessiert in all dieser Vielfalt ein Abstieg in die Tiefen, die Auseinandersetzung mit verschiedenen Krisen oder Zukunftsthemen, vielleicht sogar den Aufstieg zu den Möglichkeiten unserer Gattung? Was für eine Bedeutung sollte ein „Mehr" in den oft ausgeblendeten Herausforderungen, besser als Krisen bezeichnet in der heutigen Zeit haben?

Somit nahm ich in Gesprächen über meine Wahrnehmungen Aussagen wahr, wie „weiter so wie bisher" oder „es lohnt sich ja auch nicht etwas zu ändern", „ist doch alles gut so und schön, wie es bei uns im Westen ist" bzw. „ich kann doch sowieso nichts ändern". In diesem Sinne befreie ich mich mit größerer Gelassenheit von verschiedenen inneren Ansprüchen.

Sei es Haltung andere beeinflussen zu wollen, oder ich reduziere noch mehr mein Ansinnen mit meinen Interpretationen im Recht zu sein oder auch eine Hoffnung außerhalb meiner eigenen Welt Veränderungen bewirken zu können.

Denn selbst tappe ich in Fallen meiner Gattung, und kann verstärkt mit Wohlwollen auf meine eigene Unkenntnis schauen. Sobald ich beginne vertieft nach Erfahrungen oder Möglichkeiten von Aufstieg oder Abstieg zu fragen, folgt zumeist betretendes Schweigen und in fortlaufender Stille eine zügige Hinwendung zu den Themen des Alltags. Vielleicht mag genau dies eine neue Stufe der

Evolution sein, in der wir uns als Gattung in der stetigen Ungewissheit neu zu finden vermögen?

SEELENVERWANDTSCHAFT

Oft sind es intuitive Gedanken, die mich in der Nacht beschäftigen. Wenn ich aufwache, greife ich einige dieser in meinem Kopf herumschwirrenden Ballons auf, gebe ihnen durch weitere Assoziationen zusätzliche Energie und versuche, sie in eine beruhigende Ordnung zu bringen. Oft bin ich von solchen Gedanken gefangen, weil ich glaube mich durch solche Bilder und Empfindungen grundsätzlich mit allen Menschen irgendwie verbunden zu fühlen. Vielleicht glaube ich auch, dem zu begegnen, was man Seele oder Einheit nennt? Eines meiner Ordnungssysteme erinnert sich an den griechischen Mythos vom Kugelmenschen mit vier Armen und Beinen, aus dem Zeus Mann und Frau schuf.

Dies kommt mir gerade in den Sinn, als ich mich an verschiedene Ereignisse des vergangenen Tages erinnere, in denen sich wieder einmal unerklärliche Synchronitäten

Seelengeschwister sind Geschenke aus einer anderen Welt und Zeit

mit meiner Seelenschwester im gemeinsamen Handeln zeigten. Momente des Alltags erlebten wir aus einer tiefen Verbundenheit und einer spezifischen Frequenz heraus.

Erklärungsversuche für diesen Gleichklang entziehen sich dem Wert des Verstehens - und doch versuche ich es. Denn es scheinen subtile Felder ähnlicher Resonanz zwischen zwei Menschen zu wirken, in denen sich diese aus verschiedenen Generationen kommend in der Gegenwart der Zeit neu begegnen. Unbewusst schöpfen beide aus derselben Erfahrungsquelle, erleben

Geschehnisse wie aus einem Guss, mit und ohne Worte, wie ein Kugelmensch. Auch können die Worte des anderen schweigend und verstehend nachvollzogen werden, und unterschiedliche Wahrnehmungen werden fast gleichzeitig erfasst, obwohl faktisch Unterschiede in Alter, Geschlecht oder Sozialisation bestehen. Zu diesen Mysterien gesellt sich ein gegenseitiger Heilungsprozess, der wortlos aus dem Nichts heraus den Blick in die gleiche Richtung lenkt. Belastende wie beglückende Stimmungen brauchen keine verbale Kommentierung, denn beide scheinen das Gleiche zu empfinden.

In einer solchen Verbindung zweier Seelen verwandelt das Bewusstsein das eigene Wollen in die Demut des Augenblicks. Ein Feld des Vertrauens und einer scheinbar atemberaubenden Liebe breitet sich aus und lässt zwei Wesen tanzen, als wären sie im Alltag miteinander verbunden. Die Zeit bekommt eine andere Bedeutung, und es wirkt, als sei die Einheit des Kugelmenschen aus der griechischen Mythologie noch einmal in die Gegenwart transformiert worden - faszinierend.

Seelenverwandtschaften können so als feine Schwingungen und göttliche Fügungen in einer zeitlosen Zeit erlebt werden. In solchen Momenten erscheint das eigene Ich wie verlassen und das Leben fällt aus der sonst so funktionalen Zeit heraus. Es entstehen Räume von Tiefe und Leichtigkeit, das Miteinander ist geprägt von einem gesunden Gleichgewicht zwischen Distanz, Freude und Schmerz. Diese Beschreibung der Begegnung zweier Menschen kann nur ein Versuch sein, etwas für den Verstand Unerklärliches greifbarer zu machen. Letztlich sind es solche Begegnungen, die klassische Beziehungsmuster sprengen und sich als große und einzigartige Geschenke entpuppen. Danke.

DIE BEDEUTUNG VON GESELLSCHAFT

Jeder Mensch lebt in Beziehungen, die sich mit zunehmendem Alter zu verschiedenen Gemeinschaften ausformen – verbunden mit mehr oder weniger Menschen und in jeweils unterschiedlichen Strukturen. Regionale Grenzen kennzeichnen beispielsweise die Zugehörigkeit als deutscher Staatsbürger oder Einwohner einer Stadt. So bündeln sich verschiedene Gemeinschaften durch regionale oder Identität stiftende Ausrichtungen und können sich sehr differenziert bis hin zu einer Weltgesellschaft oder als eine Gruppierung zur Verantwortung für den Planeten herausbilden. Rechtliche Normen steuern dabei den individuellen Wirkungsrahmen persönlichen Verhaltens.

Weiterhin schwingen in allen menschlichen Gruppierungen subtile und traditionelle Vorgaben mit, die das persönliche Agieren beeinflussen, und bei den Menschen Resonanzschleifen von

Sobald das digitale 0 und 1 den Fokus des „Seins" angreift, ist das Menschsein am Ende

Akzeptanz, Zweifel oder Widerstand hervorrufen. Über viele Jahre darf und muss sich jeder Mensch zwangsläufig durch dieses Geflecht durchforsten, es erleben und erfahren. Ob diese Auseinandersetzungen mit schmerzhaften Tiefschlägen verbunden, durch teuer empfundene Strafen auszubaden oder einzelne Bereiche nach gewissenhafter Prüfung (un)freiwillig wieder verlassen werden, ist individuell unterschiedlich.

Und jetzt, zu Beginn des Jahres 2023 blicke ich mit südländischer Lebenseinstellung auf die vielen Verflechtungen der in mir ausgebildeten Zusammenhänge. Ich frage mich nach dem inneren Reiz meines „Zuhauses". Dabei weite ich den Blick auf die vielen

Routinen und Ausprägungen und spüre ein sanftes Kopfschütteln ob spezifischer deutscher Eigenschaften.

Vor allem fallen mir die so häufig erlebte Enge im Geiste und so viele in fast unerträglicher Perfektion ausgefeilten Regelwerke auf. Oft sehe ich sie als Kontrollwerkzeuge und offenkundige Verhinderer, um das Leben in seinen Ursprüngen zur bestmöglichen Gänze zu erfahren. Mir kommt es – aus der gegenwärtigen Leichtigkeit des Seins – so vor, als ob beispielweise juristisch formulierte „Kann-Vorschriften" immer weiter zerteilt und verfeinert neue Regeln schaffen. Für mich schränkt diese Überregulierung vor allem die Übernahme eigener Verantwortung immer weiter ein. Erlebt habe ich dies besonders bei behördlichen Prozessen, doch durchzieht verstärkt auch viele Unternehmen und den privaten Bereich eine regelgerechte Regulierungswut.

Es scheint schon so weit, dass sich die Kommunikation durch eine subtile Vorsicht auszeichnet, um möglichst jeden Fehler zu vermeiden – es ist ohnehin alles geregelt, und man muss sich ja nur daran halten. Beispiele hier können strikte Sperrstunden, vorgeschriebene Absperrungen bei Festen oder die Arbeitssicherheit sein, die jeder unvoreingenommenen Leichtigkeit einen Strich durch die Rechnung machen. Werden wir dadurch vielleicht sogar teilweise entmündigt und daran gehindert selbst für unsere Anliegen einzustehen? Scheint das Leben sonst zu gefährlich?

Besonders durch die Erinnerung an Orte anderer Stimmungen und freundlicheren Frequenzen fällt es mir dann Zuhause immer schwerer, mich dort heimisch zu fühlen. Wenn also subtil Lebensverhinderung sich Platz verschafft und das Kleingedruckte zur Regel des Handelns wird, bleibt Gelassenheit für den kreativen Geist auf der Strecke. Auch ist es augenfällig, wie sehr wissenschaftliche Begründungen Regelwerke hervorbringen, die von

Lobbyisten erarbeitet, durch eine Datenflut begründet und dann als wesentliche Wirklichkeitsbeschreibung Raum greifen. Durch die Reduktion der Komplexität legitimiert, wird so Interesse gesteuert und der Alltag mehr und mehr von Zahlen, Daten und Fakten durchdrungen, also mit 1 und 0 zusammengefasst. Schon Bewerbungsverfahren, die Buchung eines Leihwagens, öffentliche Förderprogramme und auch lebenswichtige Bescheinigungen - etwa in der Jugendhilfe - werden durch oft undurchsichtige Regelwerke und zumeist durch unsichtbare Programme Alleinerziehenden zugestellt.

Wohin mag es führen, wenn oft Regeln unhinterfragt ein gesellschaftliches Gefüge bestimmen und sich viele Digital Natives unbewusst verstärkt konform verhalten? Wo finden sich noch gesellschaftsrelevante Zukunftsvisionen für „meine" Gesellschaft, die die Scheuklappen der wirtschaftlich bewährten Kriterien von Erfolg, Sicherheit und einer Steigerung der Bequemlichkeit ablegt? Zumal wenn Visionen vor allem auf Technik aufbauen und den Menschen eher als Mittel zum Zweck ansehen, der optimiert werden soll, wo entsteht hier Lebensqualität?

Wo in der Vergangenheit noch Revolutionen und Überzeugungen durch die Verbindung in Gemeinschaften entstanden, wird heute die Absurdität damals sinnhafter bekannter Formate

Äußere Revolutionen sind Widerstandsmethoden der Vergangenheit. Widerstand heute ...?

wie Petitionen, Demonstrationen etc. offenkundig. Denn neben regionalen und nationalen Regelwerken erhöhen auch globale Vorgaben die Komplexität. Wer kann sich noch der Wirkung über digitale Medien verbreiteter Inhalte zur Unterstützung der normativen Regelwerke bewusst werden?

Mir kommt hier mehr und mehr das Bild des Sisyphos in den Sinn – Camus schrieb ihm Zufriedenheit zu. Daher frage ich mich, ob es wohl eher darum geht, mir meine eigene Wahrnehmung und die dabei aufkommenden Glaubenssätze zu vergegenwärtigen. Vielleicht ist die persönliche Herausforderung eines meiner Steine des Alltags mit dem Titel „alles regeln zu können" ja vor allem eine Chance, die ich noch nicht erkenne. Vielleicht wende ich den Blick und akzeptiere diese Eigenschaft als liebevolle Eigenschaft meines „Zuhauses"? Oder vielleicht erkenne ich, dass wir Menschen ja auch nicht mehr fähig sind, Verantwortung im Lebensgeflecht bestehender Komplexität zu durchschauen und zu übernehmen? Vielleicht sollten wir sogar dankbar sein, uns um viele Dinge nicht mehr kümmern zu müssen? Ist es vielleicht wunderbar, dass ja schon alles geregelt ist, wir können da einfach folgen. Vielleicht ist dieser gar der nächste Schritt, um uns unserem unabwendbaren Schicksal des Endes der menschlichen Gattung hinzugeben?

Was glaubst du, wo kannst du mit deinen eigenen Entscheidungen die Welt noch verändern? Ich forsche täglich und glaube daran, dass es nur die Welt gibt, die du dir ausmalst und gestalten willst. Alles andere erschafft weder dein „Zuhause", noch die Gesellschaft, in der du leben magst.

WEITERE TITEL
AUF DIE DU DICH FREUEN DARFST

INTERESSE GEWECKT?

Wenn du an **weiteren Bänden** *der Schriftenreihe Interesse hast, melde dich gerne unter kontakt@wuerde-impulse.de Wir senden dir dann gerne die Übersicht aller bisherigen Titel zu. Aus denen kannst deine nächste innere Reise zusammenstellen.*

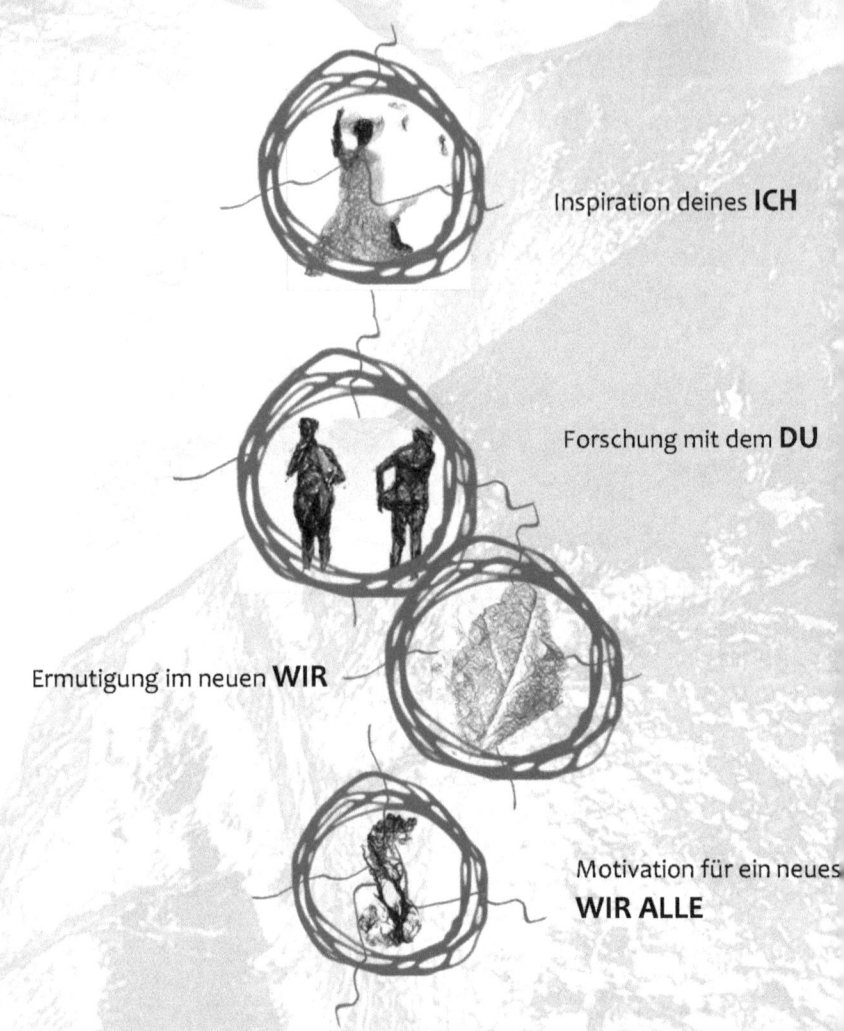

Inspiration deines **ICH**

Forschung mit dem **DU**

Ermutigung im neuen **WIR**

Motivation für ein neues
WIR ALLE

Zeitfracht Medien GmbH
Ferdinand-Jühlke-Straße 7
99095 Erfurt, Deutschland
produktsicherheit@kolibri360.de